KB015441

네팔, 과거로의 여행

네팔 아리랑

Nepal, arirang

네팔,
과거로의 여행

네팔 아리랑

Nepal, arirang

사진·글 **박돈목**

프롤로그

'레썸 삐리리~ 레썸 삐리리~' 네팔의 대표적 민요인 이 노래를 들으면 밝은 템포인데도 불구하고 네팔 민족의 애환과 슬픔이 묻어 있는 듯 애잔함이 가슴 깊이 파고든다. 마치 우리의 아리랑을 듣는 듯하다.

아리랑은 우리 민족 삶의 애환과 위기에 처했을 때 동질성을 나타내는 우리나라의 대표적인 민요다. 그것은 애원성(哀願聲)이나 한탄, 항거요, 체념의 하소연이기도 하거니와 익살떨기의 넉살부림이기도 하였다.

나에게 있어 네팔 아리랑(我(阿)里郎)은 참된 나를 찾아가는 즐거움에 있는지도 모르겠다. 아리랑 고개를 넘어가는 것은 깨달음의 언덕을 넘어가는 것이라 생각하며, 오늘도 즐겁게 봉사할 꿈을 꾸고 있다.

지천명(知天命)의 삶을 산 자신을 돌아보고자 몇 년 전 배낭 하나를 짊어지고 무작정 인도로 떠난 적이 있었다. 동경해오던 인도 여행은 적잖은 충격이었다. 델리공항(Delhi Airport) 근처에서 어린아이와 함께 누더기 하나를 이불 삼아 길에서 잠을 자는 연인네의 온몸에 뽀얗게 묻어 있던 먼지와 비행기에서 내리자마자 코끝을 스치는 인도 특유의 향은 내 가슴을 흥분시키기에 충분하였다. 또한 바라나시의 갠지스강 강가에서 보았던 화장터와 힌두교 종교의식 등도 신비로움과 문화적 충격을 안겼으며, 인도의 기차여행은 잊지 못할 추억을 안게 된 계기가 되었다.

보름간의 인도 여행 이후 인도는 나에게 잊히지 않는, 다시 또 여행하고프게 하는 곳이 되었고, 인도와 비슷한 문화권을 가지고 있는 네팔도 나의 버킷리스트에 포함되었다

언젠가는 꼭 가보리라, 다짐했던 그곳, 네팔과의 인연은 우연히 찾아왔다. 2016년 내가 근무하는 학교에서 해외 봉사 지원 동아리 공모가 있었고, 물리치료학과와 간호학과 학생들로 구성된 의료봉사 동아리가 채택된 것이다. 내가 인솔한 그 동아리는 방학 때마다 해외 의료봉사를 가게 되었고, 점점 노하우와 경험의 축적으로 체계화되어 갔다. 더불어 우리에게 숱한 스토리를 엮어 삶을 풍성하게 해주었으며, 감동의 물결로 넘실거리게 해주었다.

2019년 12월 이후 지구촌에 번진 COVID-19의 위력은 실로 대단하였다. 세계인의 발을 묶어놓은 눈으로 보이지도 않는 그 바이러스는 우리의 네팔행 의료봉사마저 출발 직전 취소를 선언하게 했다. 갖가지 의료용품과 생필품, 그곳 학생들을 위한 선물은 내 연구실을 점유한 채 아직도 침묵하고 있다.

2019년 1월 네팔 제1의 관광도시 포카라의 해돋이로 유명한 '사랑곶'에서 일출과 함께

우리 동아리의 의료봉사활동은 중국을 시작으로 스리랑카를 거쳐 네팔만 5회, 총 7회의 스코어에서 일시 정지 상태로 멈추고 있다. 나는 리플레이를 고대하며 연구실에 앉아 네팔, 그 나라를, 도시를, 사람들에 대한 나의 사랑을 사진과 더불어 기록하고 싶어졌다.

2023년 저자씀

CONTENTS

제1부

네팔을 가다

설렘 안고 떠나던 날

인류의 역사를 살펴보면 미지의 세계에 대한 도전은 항상 험난한 것으로 표현되어 있다. 하지만 도전은 미래를 향한 전진을 의미하기 때문에 아름답다. 더불어 자신이 하고 싶었던 일에 대한 도전은 중년의 사나이에게조차 흥분과 기대로 설레게 하므로 삶의 활력소가 된다.

2016년 1월 13명의 학생을 이끌고 타이항공을 이용하여 오랫동안 꿈꾸었던 네팔을 향해 떠나기로 하였다. 출발 한 달 전부터 나눠줄 학용품과 생필품, 의료물품들을 알곡처럼 챙겼다.

인터넷 검색과 문헌조사로 현지 환경과 문화 및 질병들에 대한 검토를 거듭하며 만반의 준비를 하였다. 출발 이틀을 앞두고 학생 한 명이 다리 골절상을 당해 같이 갈 수 없는 상황이 발생하기도 하였지만 우리는 마음을 모으고 전진하였다.

홍콩을 거쳐 밤늦게 도착한 카트만두 트리부반 공항은 한국의 지방공항만도 못할 정도로 초라하였다. 우리는 비자 발급과 세관 통과 절차에만 두 시간을 보내야 했다. 세관 심사 중에 정전으로 인해 대기 시간이 길어졌으며 몇몇 짐은 특별검색까지 당하는 바람에 애를 먹었다.

특별 검색을 당한 짐은 네팔 학생들에게 나눠줄 크레파스가 들어있는 것이었는데, 세관원이 크레파스 용도를 몰라 한참을 설명해 줘야 했

네팔의 수도인 카트만두에 있는 트리부반 공항에 도착한 일행과 현지 스텝들과의 기념 사진(2019년 8월)

다. 크레파스가 특별검색 대상이라니, 우리로서는 잘 이해가 안 갔다. 네팔은 미술을 비롯한 예체능 교육을 학교에서 하지 않아 크레파스를 모른다는 것을 나중에야 알게 되었다.

네팔의 역사

네팔이라는 말은 산스크리트어로 "신의 보호를 받는 땅"을 의미하며, 혹자는 NEPAL을 Never Ending Peace And Love로 재해석하기도 한다. '영원히 평화와 사랑이 넘치는 나라'라는 의미일 것이다. 남북한을 합한 한반도의 3분의 2 정도 되는 국토에 약 3천만 명(2022년 추계, 다음백과 참고)이 살고 있으며, 국민 소득 1인당 1천 달러가 되지 않는 최빈국 중에 하나다. 인구의 75%가 농업에 종사하는 농업국가지만 기후와 지형으로 인해 생산력이 떨어지는 데다가 잠재력 있는 관광산업, 수자원에도 개발과 투자가 이루어지지 않은 상태다. 더군다나 2015년 대지진 이후로 여전히 복구되지 않은 상태다.

이러한 네팔에도 커다란 신의 선물이 안겨져 있다. 세계에서 가장 높은 에베레스트산(8848.86m)을 비롯한 세계의 고봉으로 이루어진 히말라야산맥이 버티고 있다. 이에 따라 세계 각국의 등산가, 탐험가, 관광객이 끊임없이 찾아주어 경제에 큰 보탬을 주고 있다.

데바나가리 문자를 사용하고, 네팔어를 공용어로 사용하기는 하나, 아리안족(80%), 티베트, 몽골족(17%), 기타 60여 종족이 123개 정도의 언어를 사용한다. 싯다르타가 태어났다고 하는 룸비니를 소유한 나라지만 인구의 80% 이상이 힌두교이고, 나머지가 불교(11%), 기독교, 이슬람교 등으로 구성되어 있다. 또한 인도처럼 계급제도가 크게 두드러지지는 않으나 아직도 사회 이면에는 엄연히 존재하고 있다.

정치적인 면을 보면 군주제였던 네팔은 2008년 7월부터 의원내각제의 공화국(총리가 행정수반인 네팔연방민주공화국)으로 되었으며, 안타깝게도 정치적인 갈등으로 지금까지 정식 헌법 제정이 되지 않아 임시헌법만 존재한다고 한다. 세계에서 유일하게 사각형이 아닌 삼각형을 두 개

위키미디어 ©Pumbaa80

네팔의 국기와 지도 국기의 두 삼각형의 모양은 히말라야 산을 의미하며, 파란색 테는 평화와 자연을, 바탕의 빨간색은 네팔 국화인 아질레아의 색으로 행운을 의미한다. 문양은 달과 해로 네팔이 태양과 달처럼 영원할 것임을 의미한다.

'네팔'이라는 이름의 유래에 대해서는 여러 가지 설이 있는데, 전설에 따르면 수도 카트만두가 있는 카트만두 계곡 지역에 오래전 살았던 '네(Ne)'라는 힌두교 현자가 이 나라를 세웠다고 하고, 네팔은 '네의 보호를 받는 곳'이라는 뜻이 담겨 있다고 한다. 하지만, 카트만두 지역에 살았던 네팔의 소수 민족인 네와르(Newar)족의 이름에서 나왔다는 설이 유력하며, 산스크리트어로 표기된 고대 문서들이 남아있다고 한다.

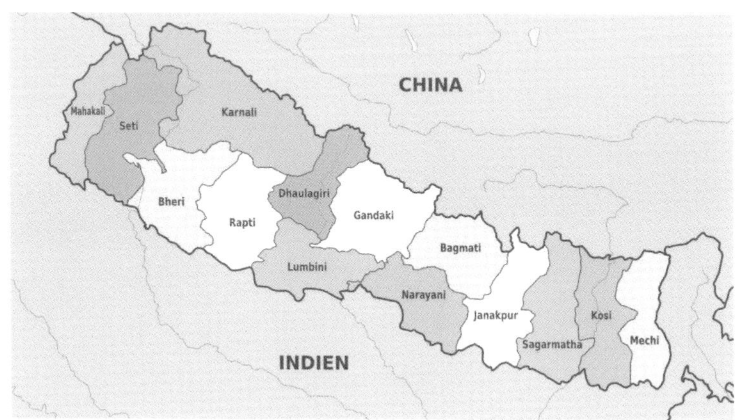

위키미디어 ©TUBS

이은 세로가 가로보다 긴 국기를 사용하며, 일 년 중 하루는 마약을 합법적으로 할 수 있는 수수께끼 같은 나라이기도 하다.

네팔의 역사를 살펴보면 9세기에서 14세기까지 인도의 지배를 받다가 1769년 구르카 왕조(Shah 왕조)가 통일왕국을 건설하였다. 이후 네팔 왕국과 영국 사이에 전쟁(1814-1816)이 일어나서 구르카가 패배한 이후 영국에 100년 가까이 지배를 받다가 1951년에 독립하였다. 이때 '쿠크리'라는 단검 하나로 최신 무기로 무장한 영국군과 싸운 구르카의 용맹함에 깊은 인상을 받은 영국이 이들을 용병으로 삼기 시작했고, 그것이 '구르카 용병부대'의 전설로 오늘까지 남게 되었다. 1814년 이후 친영파였던 나라 왕조에 의한 왕정을 유지하다가 국민으로부터 신뢰를 잃고 마오쩌둥주의자(마오이스트)들을 중심으로 구성된 혁명군과 내전을 하게 되었다. 2006년 내전 종식 후 2008년에는 왕정도 종식되었다.

지금은 등반가들에 의해 셰르파가 유명해졌으며, 셰르파는 티베트어 샤르(shar, 동쪽이라는 뜻)와 파(pa, 사람), 즉 동쪽에서 온 사람을 일컫는다. 히말라야의 고산에서 등반 안내와 짐을 운반하는 티베트 계열인 셰르파는 원래는 히말라야 고산을 오가며 무역했던 종족으로 알려져 있다.

이후 고산에서의 적응 능력이 뛰어나 산악 등반대의 가이드와 짐꾼

헤타우다(Hetauda)로 봉사를 가던 도중 큰 산의 고개 휴게 식당에서 만난 심부름하는 소년. 소년의 눈동자가 수많은 상념을 안겨주기에 나는 이 사진을 좋아한다.

을 하게 되면서 부를 얻은 사람들도 많다고 한다.

우리 봉사단의 식사를 책임지던 요리사인 니마 셰르파도 셰르파족 출신으로 국내의 유명한 등반가를 위시한 많은 한국 등반가를 상대하면서 배운 한국어와 한국 음식으로 우리와 인연을 맺게 되었다.

한국을 한 번도 방문한 적이 없는 그는 우리말은 어눌하지만, 네팔 음식 재료로 한국 음식을 만들어 내는 데는 우리 일행들도 놀랄 정도였다.

한번은 점심시간에 수제비를 끓여서 내어와 생각지도 못한 메뉴에 우리는 환호성을 질렀으며, 한국에서 먹었던 것보다 더 맛있다고 찬사를 보냈다.

네팔 사람, 사람들..

네팔의 남쪽은 농업 중심의 평원으로 해발 300m 내외이며, 북쪽은 해발 600m 이상의 산간 지역으로 전국 평균 고도 1,350m를 유지하고 있다. 지역마다 얼굴형이 다양하여 인종 박람회에 온 것 같은 느낌이 들 때가 있다. 전형적인 인도 계열의 인구가 다수를 차지하지만, 티베트 계열과 몽골족 같은 친근한 얼굴 유형도 눈에 띈다. 더러 서구형의 얼굴도 볼 수 있다. 하지만 표정은 한결같이 밝다. 처음 만나든 자주 만나든 항상 그들은 웃는 얼굴로 나마스떼를 외친다. '나마스떼'는 '내 안에 있는 신이 당신의 신에게 경배를 드립니다'라는 뜻으로 범 인도권의 공통된 인사말이다.

네팔 사람들은 특히 한국 사람에게 친절하고 친해지고 싶어 한다. 이는 네팔 사람 중 한국에 나가 벌어온 돈으로 부자가 된 이가 많기도 하

네팔의 최대 관광도시 포카라의 북쪽에 있는 오스트랄리안 캠프 가는 길에 만난 구걸하는 남매.

the

बिरामी कक्ष
PATIENT WARD

거니와, 그들이 한국으로 가려고 하면, 보증해 줄 기관이나 사람이 필요하기 때문이다. 길거리에서 처음 만난 사람들에게 카메라를 들이대도 싫어하는 사람이 거의 없고, 오히려 그들이 먼저 사진을 찍자고 한다. 받을 수 없는 사진임을 알면서도 온갖 포즈로 모델이 되어 주기도 하는 그들이다. 낙천적이고 순박하지만, 네팔 사람들에게서 나는 삶에 대한 악착같은 집착을 찾아볼 수 없었다. 알아서 일을 처리하거나 책임감 있게 일을 한다든지 부지런하다는 느낌도 솔직히 받지 못하였다. 이는 어쩌면 치열한 경쟁을 통해 살아온 한국인만의 생각일지도 모른다. 주어진 환경에 만족하며 항상 웃음을 잃지 않는 그들이야말로 진정한 행복의 소유자들이 아닐까?

다섯 번의 방문을 통해 네팔 사람들은 남들로부터 지원받는 것에 익숙해져 있다는 것을 알게 되었다. 외부로부터 오랫동안 받아온 원조가 만들어 준 습성일지도 모른다. 가난한 사람들뿐만 아니라 지위가 높은 사람, 사업가, 가진 자, 교육자 할 것 없이 마찬가지였다. 주민들을 위한 칫솔이나 상비약을 지역 유지들이 지위를 이용하여 더 가져가려고 하기도 하였다.

심지어 봉사 장소를 제공한 학교에서 교사들이 지급 물품을 받으려고 줄 맨 앞에 서 있는 모습을 보고 대원들이 기겁하기도 하였다. 하기야 우리나라도 60, 70년대에는 외국 사람, 외제에 대한 동경과 선호가 높았던 것을 돌이켜보면 빈국의 한계적 특징일 것이다.

카트만두 시내에서 닭고기를 팔던 상인이 사진 한 장을 찍겠다고 하자 재빨리 자세를 취하였다. 이 사진은 청주 전국 사진 공모전에 입선한 작품으로 주인공을 찾아 갖다주고 싶지만, COVID-19로 인해 기약이 없다.

우유 마시는 어린이. 어릴 적 나도 겨울이면 항상 손과 볼이 트고 손톱 밑에는 물감을 들인 듯 까맣게 때가 끼어있었다.(위)

자전거에 머리띠부터 가위, 열쇠, 각종 공구 등이 빈틈없이 진열된 것이 이채롭다. 어릴 적 동네 큰 마당에서 여러 가지 물건을 팔던 방물장수 생각이 났다.(아래)

아마도 네팔 사람들이 가장 즐기는 것은 춤과 노래일 것이다. 축제 기간이나 결혼 같은 행사, 유원지 등에서 여러 사람이 어울려 춤을 추는 모습을 흔히 볼 수 있다. 그래서인지 그들은 잘 웃고 항상 여유롭다.

2016년 1월 첫 번째 봉사 가던 때였다. 2015년에 발생한 네팔 대지진이 채 복구되지 않은 지역을 지나던 길에 언덕이 무너져 밀린 차들로 2시간이나 이동을 지체해야 했다. 긴 시간의 여행에 지친 대원들이 구경 삼아 차에서 내렸고 얼마 지나지 않아 음악 소리가 들렸다. 그사이에 길

휴식을 취하고 있는 인력거꾼(Cycle Rickshaw)

에서 만난 네팔 대학생들과 우리 대원들이 어우러져 즉석에서 춤을 추며 놀고 있는 것이었다.

네팔은 축제의 나라라고 한다. '자트라(Jatra)' 또는 '바르사(Bharsa)로 대표되는 축제가 연간 70여 개나 된다고 한다. 가히 축제에 살고 축제에 죽는 나라라고 해도 과언이 아닐 것이다.

가끔 평일인데도 학생과 교사들이 보이지 않는 황당한 때도 있다. 모두 축제를 즐기러 나갔다는 것이다. 우리를 환영하는 행사에서 학생들의 춤과 노래는 빠지지 않는 단골 메뉴였으며, 그들의 춤은 너무나 매력적이라 우리를 사로잡을 만하였다.

의료봉사를 마치고 호텔에 돌아오니, 화려하게 차려입은 사람들이 하나둘 모여들었다. 우리가 묶는 호텔에서 지역민의 결혼이 있었다. 해 질 녘이 되자 식사를 마친 하객들과 신랑, 신부가 음악에 맞춰 춤을 추기 시작했다. 그들은 구경하던 우리 일행들을 보고 들어와서 같이 놀자고 요청하였고, 우리는 얼씨구나 나름의 흥을 폭발시키며 어우러져 놀았다.

한바탕 홍난리를 부리고 나자, 혼주가 다가와서 학생들을 이끌고 온 인솔자 같아 보였는지, 나에게 100루피의 돈을 쥐어 주었다. 그 돈과 내

우리 일행을 맞이하기 위한 환영식에서 보여준 어린 소녀의 고혹적인 춤.(위)

그들의 정열적인 춤을 보면서 그들의 열정이 네팔의 미래를 밝힐 것이라 믿었다.(아래)

춤은 기쁨과 감사, 그리고 유희와 여흥의 의미를 지니고 있다. 행사가 끝난 뒤에도 흥을 삭이지 못하고 스스럼없이 춤추는 그들은 분명 밝고 순수함에서 비롯되는 마음의 발로일 것이다.

가 가진 돈 100루피를 보태서 악기를 연주하는 사람에게 팁으로 주었더니, 그들은 박수로 환호하였다. 네팔에서는 보통 집에서 결혼식을 올리고 경제적 여유가 되는 사람이 호텔에서 결혼식을 한다는 것을 나중에 알게 되었다. 또한 결혼식을 축하해주는 낯선 사람에게도 고맙게 생각하고 환대한다고 한다.

결혼식장에서 단 1시간 정도의 시간에, 일생에 단 한 번뿐인 결혼을 끝내 버리는 우리에 비해 훨씬 여유로움이 있는 그들이 부러웠다.

하객들의 요청으로 대원들도 함께 춤을 추며 결혼식을 축하해 주었다.

네팔을 방문하게 되면 흔히 금잔화로 된 꽃목걸이를 받게 된다. 때로는 꺾은 야생화를 수북이 손에 받을 때도 있다. '마카말리(Makhamali)' 또는 '말라'라고 하는 금잔화 꽃목걸이는 귀한 손님에게 축복과 행운을 주기 위하여 목에 걸어주는 네팔의 풍습이다. 금잔화는 재물을 가져다주는 락슈미 여신이 가장 좋아하는 꽃이라고 한다. 최근에는 꽃목걸이보다 더 편하게 가다(까따, khata)라고 하는 머플러를 목에 걸어주기도 한다. 가다는 원래 네팔 전통문화가 아니며, 티베트 지역에서 건너온 풍습이다.

힌두교 전통 설날인 1월 중순경이 되면 집 앞에서 랑골리(Rangoli)를 그리는 모습을 볼 수 있다. 기하학적 무늬의 이 그림은 집안의 무사 안녕을 기원하고, 집에 들어오는 모든 이와 부의 여신인 '락슈미'를 환영한다는 의미라고 한다. 초기에는 오색의 쌀, 꽃잎, 콩을 재료로 바닥에 아름다운 문양을 그렸으나 요즈음은 돌가루를 이용한다고 한다. 일종의 힌두교 의식이며, 티베트 불교의 만달라와 유사하고 남인도 지역에서 유행하는 풍습이다. 지역에 따라 알파나(Alpana), 아리파나(Aripana) 등으로 불리기도 하며, 타밀어로 콜람(Kolam)으로 불린다. 집 앞뿐만 아니라 사무실이나 가게 앞에도 한다.

행사장에 도착하면 길게 늘어선 학생들과 주민들이 일행들에게 꽃목걸이를 걸어준다.

꽃목걸이와 야생화를 잔뜩 받아든 대원들. 여러 학생과 마을 주민들로부터
환영의 꽃다발을 양껏 받았다. 꽃다발을 많이 받을수록 귀한 손님이라고 한다.(위)

대원들이 네팔 현지 관계자로부터 가다(khata)를 선물받고 있다.(아래)

네팔인들은 일상생활 중에나 먼 길을 떠날 때면 얼굴 미간에 붉은 점을 찍는 풍습을 가지고 있다. 이것을 '티카(띠까, tika)'라고 하며, 여성들이 얼굴에 하는 동그란 '빈디(bindi)'와 기혼여성들이 이마에서 가르마까지 길게 하는 신두르(sindoor)는 의미가 약간씩 차이가 있다. 이런 것은 힌두교의 종교의식에서 비롯된 것이며, 일반적으로 점을 찍거나 그리는 것은 시바신의 세 번째 눈을 의미한다. 파괴의 신으로도 알려진 시바신은 이 세 번째 눈으로 모든 이치를 꿰뚫어본다고 한다. 먼 길을 떠나거나 손님이 떠날 때는 신의 축복으로 보살펴 주기를 기원하는 의미에서 티카를 찍어준다.

집 앞에 랑골리를 하는 모습

네팔을 떠나는 비행기를 타보면 그 부모 혹은 가족들이 간절한 마음으로 기원의 표시를 해준 티카를 한 네팔인을 만날 수 있다. 봉사를 끝내고 환송식에서 그들은 언제나 우리 얼굴에 붉은 가루를 잔뜩 묻히며 행운을 빌어준다.

티카를 하는 것은 그들의 일상생활 중의 하나이다.

떠나는 우리에게 안녕을 기원하면서 마을 대표들이 티카를 해주었다.

네팔의 학교

내가 처음으로 다녔던 학교는 밀양의 벽지에 있는 작은 분교였다. 몇 Km나 되는 거리를 호미나 곡괭이를 들고 등교한 적이 많았으며, 운동장 고르기, 돌 줍고 풀 뽑기, 나무 심기 등 학교를 가꾸는데 고사리손들이 동원되곤 하였다. 입학할 당시에는 두 칸의 교실과 한 칸의 교무실만 있던 학교는 해마다 두 칸 정도의 교실이 늘어났고, 점점 학교의 모양새를 갖추어 갔다. 초여름 어느 날 우리는 선생님 따라 아주 멀리까지 걸어가서 대나무 한그루씩을 끌고 와서 운동장 한켠에 심기도 하였다. 몇 년 전에 찾아가 본 나의 첫 학교는 폐교되어 버렸고, 민속박물관으로 변신한 그곳에는 갖가지 나무들과 대나무 숲이 우리들의 재잘거림과 더불어 아름드리 우거져 있었다.

나의 분교는 교실이 모자라 오전반과 오후반으로 나뉘어 수업하였고, 오전반과 오후반이 겹치는 점심시간에는 동산에 올라 납작한 돌을 책상 삼아 그야말로 숲속 교실에서 수업하기도 하였다. 겨울이면 산에 가서 나무를 주어와 교실 가운데 놓인 항공모함 같은 난로에 불을 지펴 도시락을 올려 데워 먹곤 하였다.

2000년대 초 자료에 의하면 네팔 국민의 문맹률은 57%(2002)로 국민교육은 낮은 수준이며, 최근까지도 여성들은 10대의 중, 후반에 결혼하는 경우가 많아 특히 여성들의 학력 수준이 낮은 실정이다. 교육체계는

기본 학제가 '10+2시스템'으로 초등(Lower Secondary) 7년, 중등(Secondary) 3년 고등 2년 과정으로 되어 있으나 대도시와 농촌 등 지역마다 차이가 있는 복잡한 시스템을 가지고 있다. 예를 들어 6년제 학교(primary school), 7년 또는 8년제 학교(secondary school)가 있으며, 10년제의 학교도 있다. 시골과 대도시의 빈곤층은 주로 공립학교에 다니는 한편 중산층 이상은 자녀들을 교육의 질이 높은 사립학교에 보내는 경우가 많다. 여행하다 보면 스쿨버스가 다니기도 하는데 주로 사립학교의 통학버스들이라고 한다. 공립학교의 경우 부족한 시설로 인해 여러 반을 나누어 수업하며, 새벽반, 오전반, 오후반 등으로 나누어 운영하기도 한다. 아침 일찍 숙소에서 일어나 밖을 내다보면 이른 시간에 등교하는 학생들을 볼 수 있다.

2016년 처음 봉사를 위해 도착한 학교는 발쵸티세컨드리스쿨(Baljoti Secondary school)로 600여 명의 학생이 있는 공립학교였다. 한쪽에 우리나라 NGO 단체가 지어줬다는 콘크리트 단층 건물이 있고 그 옆으로 양철 한 겹으로 창문도 없이 지어진 건물이 있었다. 건물이라고 하기엔 너무 개방되어 있어서 옆 교실 소리가 다 들리고, 심지어 비 오는 날에는 비가 들이치기도 하였다.

한국의 유명 등산인을 비롯한 많은 단체에서 네팔에 앞다투어 학교를 지어주고 있다. 과거 우리나라도 외국의 원조를 받은 적이 있으며, 이제 우리보다 열악한 나라를 지원하는 것은 당연한 일일 것이다. 하지

바다가 없는 네팔 학생에게 바다와 스포츠, 그리고 우주에 대한 그림을 그려주었다. 이 건물은 한국의 NGO 단체에서 지어준 것이다.

만 추후 계획 없이 학교 건물만 지어준다고 해서 해결되는 것은 아닐 것이다. 지속적인 지원이 따르지 않는다면, 결국 폐교되어 버리는 학교가 생긴다고 하였다. 현지 공관의 인증 없이 지어진 학교는 사립학교 형태로 운영되어 정부 지원을 받을 수 없으므로 지속적인 유지가 어렵다고 하였다. 또한 우리나라에서도 시골 학교가 폐교되고 있듯이 점점 도시로 몰려드는 이곳의 인구동태를 고려하여 미래의 상황이 예측된 계획 하에 지어줄 필요가 있다고 본다.

처음 봉사를 나갔던 발죠티학교의 양철로 된 교실에서 공부하고 있는 학생들.
옆 교실의 작은 소리도 고스란히 들렸다.(위)

한국 NGO 단체의 지원으로 지어진 산꼭대기에 자리 잡고 있던 수르요다야 (SURYODAYA) 초등학교. 현지 사정을 몰랐던 우리는 이 학교 학생들을 위하여 축구공과 배구공을 준비해 갔으나 운동할 공간이 없었다. (아래)

이 학교는 한국의 NGO 단체 '지구촌 교육나눔'에서 여러 후원자의 지원으로 지어졌다고 하였다.

제2부

카오스의 도시 카트만두

중학생 무렵에 살았던 집은 부산 초량동 산복도로 위에 있었다. 부산 앞바다와 엄청나게 큰 배들, 부산역과 기차가 훤히 내려다보이던 그곳을 나는 잊지 못한다. 쨍하게 화창한 날이면 오륙도는 물론 대마도까지 희미하게 보이던 곳, 고층 아파트의 뷰(view)와 같은 곳이었다. 동네 집들은 흔히 '하꼬방'이라고 부르던 판잣집이 많았다. 큰방과 문간방, 그리고 다락방이 있었던 우리 집, 나는 그 다락방의 좁다란 창문으로 바다를 바라보며 무언가 뭉클한 기분에 젖곤 하였다. 그러고는 뱃고동 소리를 들으며 미래를 꿈꾸기도 하였다. 학교에서 돌아와 내가 가장 먼저 하는 일은 물을 길어 오는 것이었다. 공동 수도는 정해진 시간에만 물을 공급해주었기 때문에 일 나가시던 어머니가 내게 당부하신 일이었다.

네팔의 학교나 마을에서 물 긷는 여인들과 목이 말라 공동 수돗가에서 목을 축이며 장난하는 아이를 종종 볼 수 있었다. 네팔 호텔의 수돗물로 양치하면 비릿한 내음에 텁텁한 맛을 느끼곤 한다. 산이 높고 계곡마다 물이 흐르지만, 석회를 많이 함유하고 있어서 물이 맑지 않고 뿌연 색깔을 띠고 있다. 네팔 사람들은 어릴 때부터 익숙해져 수돗물을 그냥 먹어도 별 탈이 없지만, 한국 사람들이 그냥 마시면 배탈이 나는 경우가 많다고 한다. 예민한 사람은 특유의 비릿한 냄새 때문에 양칫물까지 사서 하는 경우가 있다.

카트만두 고궁의
공동 수돗가에서 물을
길는 여인.(위)
수돗가에서 양치하는
어린이와 빨래하는 여인.
(아래)

네팔을 경험해 보지 않은 사람들에게 네팔 얘기를 하면 대체로 공기가 맑고, 만년설이 있는 추운 나라라고 알고 있다. 하지만 네팔은 위도상 우리나라보다 낮아 겨울 날씨가 우리나라 늦가을 같은 느낌이며, 여름은 더 덥다. 만년설은 히말라야가 있는 높은 산에 가야 볼 수가 있다.

네팔의 수도인 카트만두에 처음 방문하게 되면, 극심한 공기오염과 무질서, 불결함 등으로 인해 심한 실망감을 가지는 경우가 많다. 대도시인데도 불구하고 비포장도로가 많고 포장도로마저 보수가 되지 않아 상태가 좋지 못해 비포장도로나 마찬가지로 먼지가 흩날린다. 짐을 가득 실은 낡은 트럭이 끊임없이 뿜어내는 시커먼 매연에 숨쉬기조차 힘들 때는 하루라도 빨리 떠나고 싶어졌다. 한두 사람 겨우 다닐 수 있는 좁은 골목길에는 오토바이들이 질주하고 있었다. 카트만두의 거리는 마스크를 쓰지 않고 다니기는 힘든 곳이었다. 그런데도 시커먼 매연을 내뿜는 트럭 뒤에 바짝 붙어 오토바이를 타고 가는 연인은 행복한 미소를 짓고 있었다. 2016년에 방문했을 때는 지진의 영향인지 수시로 정전이 되었으며, 기름을 공급받기 위해 주유소 앞에는 오토바이와 차량이 끝없이 길게 줄을 지어 기다리고 있었다. 수도인 카트만두의 고급 호텔에서조차 밤에 자주 정전이 되는 바람에 히터가 되지 않아 여러 대원이 감기에 걸리곤 하였다. 이후부터는 일회용 핫팩을 챙겨가는 것이 필수가 되었지만, 해가 갈수록 전기 사정도 나아지는 편이며, 오토바이 수도 점점 많아지는 것을 보면 네팔도 발전하고 있는 것이 틀림없다.

카트만두 타멜거리의 아침. 복잡하게 전선이 얽혀 있는 전봇대가 눈에 띄었다.(위)

노후된 차들, 낡은 도로를 먼지가 뒤덮고 있다.(아래)

단코트(Thankot)의 비애

카트만두의 서쪽 관문으로 단코트가 있다. 인도와의 남쪽 관문인 비르간지(Birganji)나 치트완(Chitwan), 포카라(Pokhara) 같은 관광도시를 오가는 길목으로 고도가 1,805m 되는 큰 고개이다. 무거운 짐을 싣고 왕래하는 화물차와 관광버스, 심지어 오토바이까지 끊임없이 오가는 교통의 요지다. 카트만두에서 외곽으로 나가는 고개 정상까지는 최근에 공사를 하여 4차선으로 확장되었지만, 정상에서 서쪽으로 내려가는 쪽은 가파른 산을 굽이굽이 돌아내려 가는 2차선이다.

카트만두 쪽의 능선은 완만한 데 비해, 서쪽은 고도가 훨씬 낮은 곳이라 내리막길을 한참이나 내려가야 한다. 반대로 카트만두 쪽으로 오려면 좁고 가파른 비탈길을 올라가야 한다. 그러다 보니 무거운 짐을 잔뜩 실은 오래되고 낡은 화물차는 시커먼 매연을 내뿜으면서 기어서 올라가고, 그 틈을 비집고 작은 승용차와 오토바이들이 앞지르기하며 곡예운전을 하기도 한다

2016년 처음 네팔을 방문하던 해의 어느 날이었다. 아침 일찍 봉사할 곳으로 가는 길에 단코트 정상부터 서쪽으로 내려가는 길이 끝없이 차

유리창이 깨어진 통학버스. 학생들이 타고 다니는 통학버스의 유리창이 없어도 아무렇지 않은 것은 그들의 여유로움인 듯하다.

들로 막혀 있었고, 차 안에 있던 많은 사람이 내려서 정체 현상을 구경하고 있었다. 어떤 관점에서는 구경이라기보다 그 광경을 즐기고 있는 것 같았다. 다른 사람을 통해 전해진 사실은 올라오는 중간에 화물차가 고장 나서 멈췄고, 그 사이를 작은 차들이 앞지르기하면서 내려오는 차들과 뒤엉켜 모두가 오도 가도 못하게 되었다는 것이었다.

우리나라 같으면 대부분의 사람이 화를 내거나 짜증을 냈을 법도 하

단코트를 통과하기 위한 차들이 계곡에 끝없이 밀려 있다.
이 고개를 통과하는 데만 3시간 가까이 걸렸다.(2016년 1월)

건만 누구 하나 화내는 사람이 없었다. 그렇다고 누구 한 사람 나서서 정리하는 모습도 볼 수 없었다. 이후 경찰들이 와서 겨우 정리되었고, 우리 일행은 2시간 반을 기다린 끝에 출발할 수 있었다. 차가 막히지 않더라도 30분 이상이 걸리는 단코트에 터널을 뚫는다면 5분이면 통과할 수 있을 것이라는 생각이 이곳을 지날 때마다 떠오른다.

다행히 지금은 터널 공사를 한다고 하나 언제 끝날지는 알 수 없다. 만약 네팔도 우리나라처럼 터널이 많으면 전국을 짧은 시간 안에 쉽게 다닐 수 있을 텐데 하는 생각은 네팔을 가본 사람이라면 누구나 할 것이다. 하지만 지반이 약하고 지진으로 인한 붕괴 위험 때문에 쉽게 건설할 수 없고, 무엇보다 정부의 재정 상태가 아직 여유가 없을 것이다.

카트만두의 유적지들

약 150만 명(2020년 추계)이 사는 카트만두는 8세기에서 9세경에 만들어진, 오래된 고대 도시이다. 해발 1,324m에 있는 이 도시의 옛 이름은 칸티푸르로 옛 왕궁과 불교사찰, 힌두교 사원 등 유적지가 많으며, 세계 산악인의 히말라야 등반 출입 통로이기도 하다. 카트만두라는 지명은 카트(나무) + 만드(사원 또는 건축물)에서 시작되었다는 설이 유력하며, 처음에 나무로 만든 사원이 있어 이로부터 유래되었다고 한다.

트리부반 공항에 도착하기 직전 카트만두 상공에서 바라본 하늘에 떠 있는 듯 보이는 웅장한 설산은 보는 이들의 탄성을 자아내게 한다. 카트만두에는 수많은 유적지와 볼거리가 있는데, 그 중 기억에 남는 몇 곳을 소개하고자 한다.

1. 스와얌부나트 사원

원숭이 사원으로 불리는 스와얌부나트 사원은 카트만두의 대표적인 유적지다. 입구에서부터 원숭이들이 마중 나와 사람들을 성가시게 하는 것으로도 유명하다.

약 2000년 전에 건립되어 네팔에서 가장 오래된 이 사원은 네팔불교인 라마교의 성지로 원래 호수였던 카트만두를 문수보살이 물을 말려 이 사원을 떠 올렸다는 전설이 있다. 그래서인지 불교도들의 성지로 알려져 이웃 티베트를 비롯한 순례객들이 많이 찾는 곳이다. 하지만 그 오랜 기간 제 모습을 유지했던 이 사원도 2015년 5월에 발생한 네팔 지진의 영향을 피해 가지 못하고 사원 주위의 여러 석탑이 많이 무너져 내려 보수가 한창이다.

스와얌부나트 사원의 원숭이와 사원 중앙탑. 불교사원이지만 힌두교 양식을 띠고 있는 사원은 지진으로 인해 많은 부속 탑들이 무너져 복구 중이었다.

사원에서 내려다본 카트만두 시내. 여러 산들로 둘러싸여 있는 분지 형태의 카트만두는 매연이나 대기 가스가 빠져나가지 못해 항상 뿌옇게 덮여 있다. 우기가 아닌 계절, 특히 겨울에는 뿌연 매연으로 이렇게 맑은 모습을 보기 힘들다.(2019년 7월 촬영)(위)

스와얌부나트 사원에서 부처님께 축원과 감사의 예를 올리는 행사를 하고 있다. 네와르어로 구라 펄브라고 하는 이 행사는 8월에서 9월 사이에 약 한 달간 사원에서 이루어진다. 이 기간에는 닭고기와 술을 먹지 않고 담배와 같은 나쁜 습관이나 부정을 탈 수 있는 행위는 일절 하지 않으며, 각종 악기를 동원하여 축복을 빈다고 한다.(아래)

2. 파슈파티나트 사원

카트만두 공항 근처에 있는 파슈파티나트 사원은 힌두교도들의 성지로 알려져 있으며, 원래는 힌두교도들만 들어갈 수 있었으나, 지금은 비싼 입장료를 받고 일반 관광객에게도 부분적으로 개방한다. 시바의 사원으로 알려진 사원 앞에는 바그마티(Bagmati)강이 흐르는데, 말이 강이지 냇가 수준이다. 하지만 이 강의 강물은 히말라야의 산에서 눈이 녹아 내려오는 물이 흐르고 있어, 힌두교도들이 신성시하는 곳이다. 바그마티강은 인도의 갠지스강의 지류로 생전이나 사후 이 물에 몸을 씻으면 영생하거나 힘들고 고통스러운 삶에 대한 윤회를 끊을 수 있다고 믿는다. 그래서 이곳에는 화장터로 사용되는 가트(Ghat)가 있다. 몇 년 전 인도의 바라나시에 갔을 때 갠지스강 강가에 있었던 화장터 가트는 여기와는 비교가 되지 않을 정도로 규모가 컸으며, 물도 여기보다 맑고 사람도 많았다.

힌두교도들은 히말라야의 신성한 물에 목욕하면 죄가 씻기고 그로 인해 죽어서도 영생한다고 믿는다. 그래서 죽어서도 시체를 그 물에 담그기를 염원한다. 인도의 갠지스강 강가에서는 강 위쪽에는 끊임없는 화장이 이루어지고, 그 아래에서는 많은 사람이 목욕과 세수를 하거나 심지어 양치질하는 사람도 볼 수 있다. 또한 강 가운데에는 죽은 소의 배가 물에 퉁퉁 불은 상태로 떠내려가고 있는 모습도 볼 수 있었다. 우리의 사고로는 비위생적인 환경에 경악할 만한 상황들이지만 그들에게는 그 물이 그저 신성한 존재일 뿐이다.

바그마티강의 화장터는 규모의 차이는 있으나 힌두교도들의 개념은 차이가 크지 않다. 사자의 가족들은 시체의 재와 함께 저승길 노잣돈을 떠내려 보내고, 그 앞 물속에는 동전을 줍기 위해 기다리고 있는 사람들이 있다. 심지어 어떤 애들은 그곳에서 물장구를 치고 놀고 있다.

사자의 몸을 강물로 씻은 후 화장을 하고 있다.

다리를 사이에 두고 위쪽은 상위 계급층이, 아래는 하위 계급층의 화장터가 있다.
죽어서도 계급사회를 벗어나지 못한다.

3. 박타푸르(Bhaktapur) 광장

5세기경 네팔은 현재의 카트만두를 중심으로 세 개의 왕국으로 분리되어 있었다. 카투만두, 박타푸르, 파탄으로 세 세력은 18세기 중반경 하나의 나라로 통합되어 현재 네팔의 근간이 되었다. 그중 박타푸르 광장은 유네스코 세계 문화유산으로 지정되어 보호되고 있다. 세 군데의 유적지 형태와 분위기는 엇비슷하나 박타푸르가 가장 크고 보존이 잘된 듯 보였다. 카트만두에서 동쪽으로 13km 정도 떨어져 있는 이곳은

15세기 후반까지 네팔의 수도로 예술적 재능이 뛰어난 네와르족들이 건설한 도시였다. 이후 18세기경 구르카족에 의해 정복되어 쇠퇴하게 되었다. 붉은 벽돌로 지어진 건축물과 장식물, 사원, 석상 등이 고풍스럽게 느껴지는 마치 박물관 같은 분위기를 안긴다. 광장 안으로 들어서면 실제로 사람들이 사는, 우리나라의 유적지와는 다소 다른 모습이 고개를 갸웃거리게 만든다. 마치 과거와 현재가 공존하는 듯한 느낌에 문화재도 인간과 함께 숨 쉬고 온기를 나눌 때 그 존재가치도 드러난다는 것을 느낀다.

고궁 안에서 불화를 그리고 있는 여인.

입구에 들어가기 전의 신전과 내부의 신전

통제와 일정한 시간을 두어 관리를 하는 우리와는 달리 그들에게 있어 문화재는 단지 생활의 한 부분이며, 휴식 공간으로 보였다.

4. 타멜거리

네팔을 방문하려면 카트만두를 통해야 하고, 카트만두를 방문하는 외국인들은 거의 타멜 거리에 숙소를 정하거나 방문하는 것이 필수코스라 해도 과언이 아니다. 그만큼 타멜 거리에는 외국인이 넘쳐나고, 거기에는 여행객들이 필요로 하는 모든 것이 다 있다. 여러 등급의 호텔을 비롯한 다양한 숙박시설, 음식점과 유흥시설이 즐비하게 골목마다 넘쳐난다. 물론 쇼핑 시설도 빼놓을 수 없다.

처음 방문하는 이에게 타멜 거리는 너무 혼란스럽다. 거미줄처럼 얽혀 있는 좁은 골목에 많은 사람과 오토바이, 차가 끊임없이 지나가고, 주인이 없는지 정처 없이 떠돌아다니는 개도 많다. 건물들 외벽에 복잡하게 엉켜있는 전선이 그대로 드러나 있고, 오토바이와 차로 인해 뽀얀 먼지로 가득 차 있다. 하지만 오래된 시설들이 가득했던 이 거리도 점점 현대화된 건물이 늘어나고 있다.

신전과 유적, 과거와 현재가 공존하는 타멜거리는 언제나 사람들로 붐빈다.

제3부

여행, 그리고 봉사

떠난다는 것은..

여행가 김찬삼 님은 여행은 인간수업에 가장 좋은 것이라 하였고, 어떤 이는 여행의 매력은 타인을 알고 새로운 사실을 깨닫는 데 있다고 하였다. 혹자는 자신을 찾기 위해 떠난다고도 한다. 나에게 있어 네팔 여행은 어린 시절로 되돌아가는 계기가 되었으며, 지나온 길을 되돌아보게 하는 기회가 되었다.

이 땅에 태어나는 순간부터 생을 마감할 때까지 우리는 세상을 탐험하는 여행자다.

중학교 2학년 때 지리 선생님으로부터 '김찬삼의 세계여행'에 관한 얘기를 듣고 나는 곧장 학교 도서관으로 달려가서 그 책을 빌려 읽었다. 그리고 주체할 수 없는 흥분으로 밤잠을 설치면서 설레었던 기억이 난다. 하고픈 것이 많아 부풀어 있었던 십 대 시절, 자동차 운전을 얼마나 하고 싶었는지 밤이면 자동차와 함께 강물에 빠지거나 낭떠러지로 굴러떨어지는 꿈도 꾸곤 하였다. 이어진 나의 꿈은 외항선 선원이었다. 먼 대양을 누비며 세계여행을 하고 싶었다. 비록 어릴 적 꿈꾸던 여행을 하는 직업을 갖진 않았지만, 직장생활을 하며 나는 틈틈이 여행을 떠나곤

한다.

나는 길을 떠나면 비로소 자유를 느끼게 된다. 직장으로부터, 자동차로부터, 모바일의 정보와 소식, 인간관계로부터.. 나를 구속하는, 어쩌면 내가 소유하려고 애썼던 모든 것으로부터 비로소 자유를 얻는다. 정해진 일상에서 벗어나 발길 닿는 곳으로 마음대로 갈 수 있는 여행에서 자유를 느낀다.

봉사의 의미

초등학교 시절이었다. 내가 다녔던 분교에 미군들이 의료봉사를 온 적이 있었다. 그들은 여태껏 내가 보지 못했던 코가 크고 눈이 부리부리한 서양인이었고, 무서워서 가까이 가기도 힘든 흑인도 있었다. 의료 오지였던 시골이 떠들썩해지는 사건이었다.

나는 그들의 주위를 맴돌며 생전 처음 보는 낯선 기구들과 알아들을 수 없는 대화에 귀를 기울였다. 사실은 그들이 웃으며 다가와 주머니에서 꺼내주는 초콜릿에 관심이 더 많았다. 내가 먹어본 그 어떤 것보다 가장 달콤하고 부드럽게 입안에 머물던 그 놀라운 맛은 지금도 잊히지 않는다.

공짜로 약을 준다는 소문은 근동까지 퍼져 농사일하던 바쁜 일손들

Haier
WORLD'S No.1

길을 떠나는 것은 자유를 안고 미지에 대한 기대를
찾아가는 것이다.

도 만사를 제치고 달려왔으며, 달식이 할아버지도 아픈 다리를 끌고 와 운동장에 줄을 서 있었다. 병석이 아버지는 교문 앞까지 뛰어와서는 갑자기 줄 앞에서 쓰러져 먼저 치료받고 웃으면서 돌아가셨는데 그 모습이 지금도 눈에 선하다.

48년이 흐른 뒤 그 미군들의 자리에 내가 서 있다. 나는 오랜 세월 동안 지워지지 않는 기억의 주인공이 된 것이다. 네팔은 낯선 땅이 아닌 내가 어릴 적 살았던 바로 그곳이었다.

시간을 거슬러 달식이 할아버지도 병석이 아버지도 계신, 초콜릿을 고대하며 주위를 맴돌던 나도 있는, 과거의 내 나라였다. 입언저리까지 내려온 누런 코를 마셔버릴 듯 벽에 서 있는 형식이와 종일토록 구슬치기와 딱지치기로 트고 갈라진 손등을 겨우내 가지고 있던 명수도 거기에서 만날 수 있었다. 겨우내 목욕하지 않은 몸에 겹겹이 껴입은 옷을 뚫고 올라오는 익숙한 내 어머니의 내음도 거기에 있었다.

의료봉사를 마치고 떠나던 날, 학생들에게 인사할 기회가 주어졌다.

"한국도 불과 몇십 년 전 여러분들과 같은 모습으로 생활했으며, 이후 여러분들을 도와줄 수 있을 만큼 지금처럼 잘살게 되었습니다. 여러

한국에서 봉사단이 왔다는 소문이 돌자, 사람들이 구름같이 모여들었다.

분들이 잘사는 방법은 열심히 공부하고 성실하게 사는 방법밖에 없습니다. 여러분들이 자라서 성인이 되었을 때 여러분들보다 못한 나라에 가서 봉사할 기회가 있길 바랍니다."

네팔에 그러한 날이 오리라 믿는다.

봉사 첫날, 빈 교실에서 점심을 먹고 있을 때 창문 너머 학생들이 구경하고 있다.
네팔 사람들은 대부분 하루 두 끼만 식사한다. 학교에서 점심시간이 있지만 학생들은
식사를 잘 하지 않는 것을 고려하지 못한 우를 범했다. 이후부터 우리 일행은
아이들의 눈을 피해 타고 온 버스 안에서 식사했다.

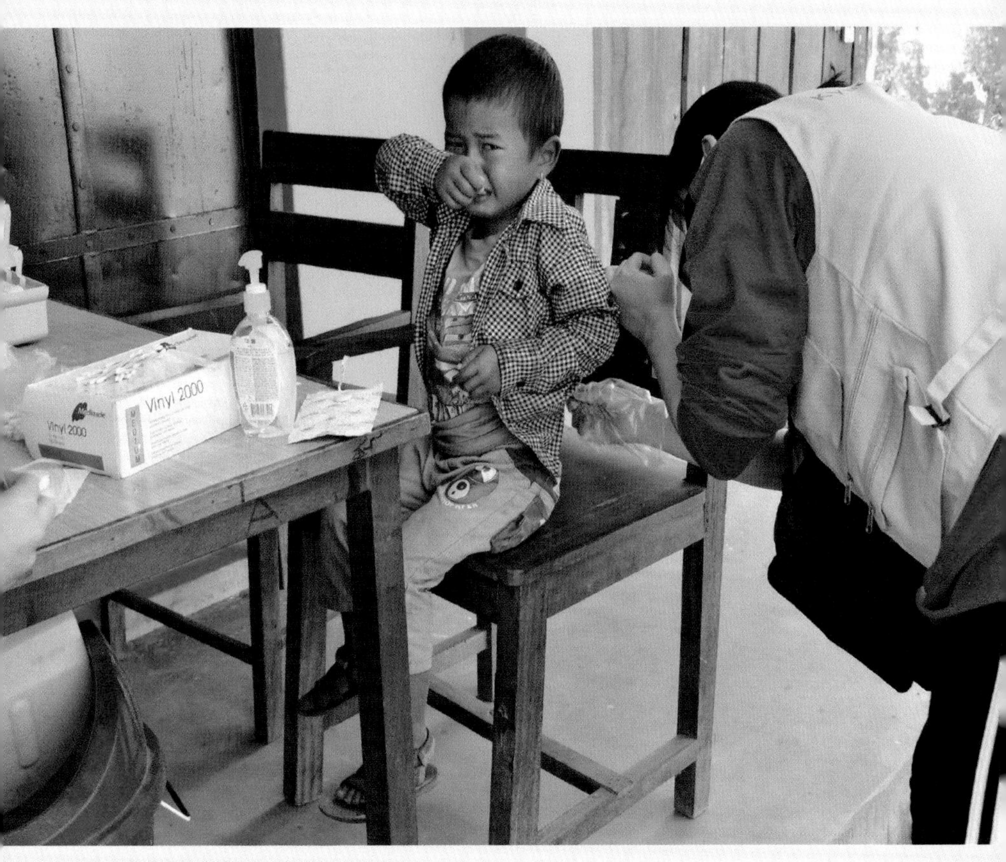

이 어린이는 엉덩이에 심한 종기가 있었다. 아주 아팠을 텐데도 울기만 하고
꼼짝없이 견뎌 주었다. 그렇게 해야 낫는다는 것을 알았던 모양이다.

대학 시절 부산 남천동에 있던 소화영아재활원(지금은 감만동에 있음)에 임상실습을 간 적이 있다. 그곳에는 일반재활원들과는 달리 심한 기형을 가지고 있는 어린 아기들이 양육되고 있었고, 차마 눈 뜨고 보기 힘든 심한 기형을 가지고 있는 아기도 있었다.

서너 살이 되어도 말은 고사하고 일어나 앉는 것조차 불가능한 아기들이 대부분이었다. 실습을 마치고 돌아오면 두어 살 된 조카가 '삼촌' 하며 달려왔었는데, 그 모습에 절로 감사한 마음이 들곤 했다. 건강한 육체를 지니고 있다는 것이 얼마나 큰 행복이며 큰 유산인지를 깨달았

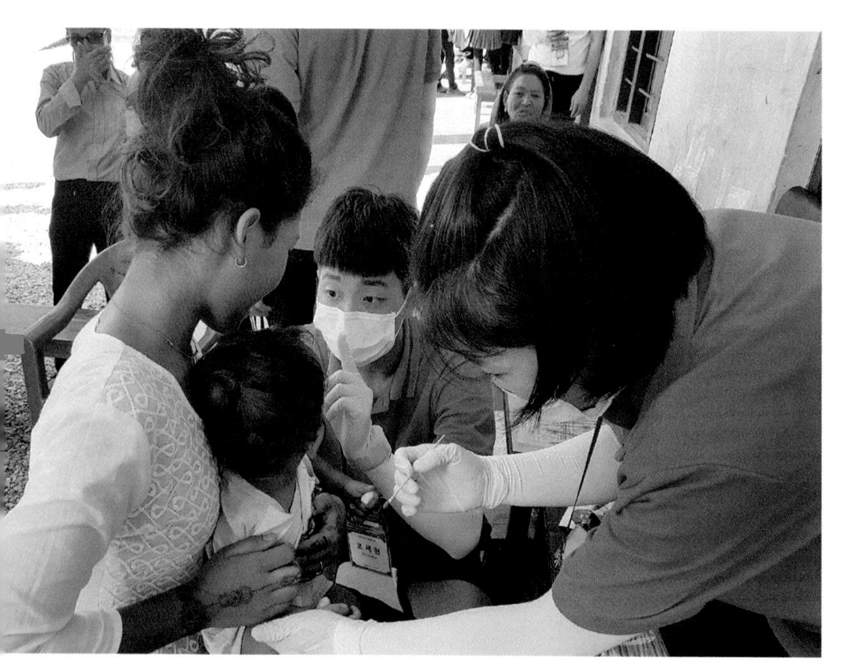

치료받으러 오는 사람 중에는 10대 엄마들이 아기를 안고 오는 경우가 많다.
열악한 위생시설과 의료환경으로 인해 단순한 질병이 악화한 경우가 많았다.

다. 이후 결혼하여 첫째 아이가 태어났을 때 나는 제일 먼저 손가락과 발가락 검사부터 하였다.

실습을 마치고 나오면서 나에게 주어진 시간과 몸, 그리고 전문 지식과 기술을 불편한 육체를 지닌 사람들과 나누리라 다짐하였다. 그리고 졸업 후 직장에 다니면서 나는 휴일 하루의 반나절은 재활원을 방문하며 다짐을 실천하려고 노력하였다.

그 후 해외 의료봉사를 다니면서 우리보다 더 열악한 나라에 관심을 가지게 되었다.

길게 줄을 서서 미리 기다리고 있는 주민들의 모습에 점심도 서둘러 먹어야 했다.
약을 타기 위해 길게 늘어선 주민들….

젊은 사람들도 관절염으로 인한 무릎 통증을 많이 앓고 있었다.
어릴 때부터 운동하지 않아 허벅지 근육이 약화하였고,
주로 신고 다니는 조리가 쿠션 역할을 제대로 하지 못해 무릎에
충격이 많이 가는 것이 원인인 것 같았다.

시간이 지날수록 소문을 듣고 사람들이 모여들기 시작했다.

벽화 그리기는 이들에게 마냥 신기하기만 하다.

우리는 의료봉사팀과 벽화팀, 한국문화 교육팀으로 나누어 진행하였다. 문화팀에서는 한국어, 태권도, 구기 운동, 풍선아트 팀으로 나뉘어 운영되었고, 이발해주기, 옷이나 안경 나누어 주기가 진행되었다. 물론

현지인들에게 이발 봉사를 하는 대원들.(위)
종이접기와 한글 교육 봉사를 하고 있다. 이 건물은 우리나라 NGO 단체에서 국내 후원자의 지원을 받아 지어준 것이다.(아래)

학교의 지원비로 마련한 것이었다. 우리 봉사팀이 한국의 지역 매체에 소개되자 후원이 늘어나 의복, 학용품, 안경 등의 지원이 잇따라 우리

학생들이 한글과 풍선아트를 배우고 있다.

팀의 짐도 점점 늘어나게 되었다. 특히 고도가 높은 지역에 사는 네팔인들은 강한 자외선으로 인해 백내장 환자가 많았는데, 선글라스나 자외선 차단용 안경은 매우 유용한 선물이었을 것이다.

의료봉사 마지막 날 점심나절에 약품이 모두 소진되어 버렸고, 먼 길을 걸어온 사람들이 길게 줄을 서 있었다. 우리는 어쩔 수 없이 약을 타러 온 분들은 돌려보내야만 했고, 물리치료가 필요한 분들만 남겨서 치료해주고 있었다.

하루 종일 대기하는 줄이 줄어들지를 않는다.

그런데 1시간 뒤 한 주민이 총을 든 경찰 두 명을 앞세우고 씩씩거리며 들어왔다. 통역을 통해 자초지종을 들어보니 세 시간을 걸어서 약을 구하러 왔는데 돌려보내는 것이 억울하여 경찰에 신고한 것이었다.

가까스로 봉사 장소였던 학교의 교장 선생님이 상황을 설명하고 경찰을 돌려보냈으며, 우리 요원이 가지고 있던 개인 상비약을 털어서 그 주민에게 주었다.

보통 도심지 내에는 사람들이 모여 살지만, 농사를 업으로 살아가는 대부분 지역의 경우, 산 중턱에 띄엄띄엄 집을 짓고 텃밭을 가꾸며 살아간다. 따라서 의료봉사 관련해서 마을 사람들에게 연락하기가 쉽지 않다. 의료봉사 방문 소식은 학생들을 통해 부모님들께 그리고 마을 전체에 알려졌다. 하루 이틀 지나면 더 먼 곳까지 소문이 퍼지게 되었다. 그 때문에 갈수록 주민들이 많이 모여들게 되고, 나중에는 서너 시간을 걸어서 오는 경우도 생겼다.

문화 혜택은 고사하고 의료혜택도 제대로 받지 못하는 그들은 우리 봉사팀이 갈 때마다 구름처럼 몰려든다. 돈과 의료시설이 없어 사소한 질병이 악화하여 우리 봉사팀의 치료 한계를 넘는 환자를 접하면 안타깝고 아쉽기 그지없다. 특히, 준비한 약품이 부족할 때는 주위의 도움을 구하는 노력이 더 필요했음을 느낀다. 하지만 우리의 치료를 통해 새 희망을 찾는 이들을 볼 때는 뿌듯한 자부심을 느끼기도 한다.

네팔은 고산지대인 관계로 자외선 노출에 의한 백내장 환자들이 많았다.
사진은 네팔의 유명 안과병원에서 무료로 수술받은 환자들이 안대를 떼는 날로 행사에 초대받아 참석하였다.

시골에 사는 사람들은 산 중턱에 띄엄띄엄 집을 짓고
텃밭을 가꾸며 살아간다.

봉사활동 이모저모

우리 봉사단이 가는 곳마다 동네잔치가 벌어지듯 축제 분위기에 휩싸이고, 우리 단원들이 도착하기 전부터 학생들을 비롯한 동네 사람들이 꽃목걸이(Makhamali)와 스카프(khata)를 들고 기다린다. 봉사단이 도착하면 동네의 전통 악기를 앞세우고 행사장까지 안내한다. 이런 광경을 처음 접하는 대원들은 몸 둘 바를 모른다.

학생들을 인솔하여 네팔에 의료봉사를 다니면서 여러 가지 에피소드도 겪게 되었다. 언젠가 경유지인 방콕에서 1박을 해야 했는데, 학생들은 그 틈을 이용하여 방콕 시내를 구경하고 밤늦게 들어왔다.

다음날 네팔행 비행기를 타고 이동하던 중 한 명이 설사로 인해 기내 화장실을 들락거렸다. 지사제를 먹어도 호전되지 않아 카트만두 도착 즉시 병원으로 달려갔는데 장염에 걸린 것이었다. 3일 입원 후 부모와 상의하여 결국 한국으로 돌려보내게 되었다.

한 달간의 준비와 긴 시간 동안 네팔까지 왔건만, 본인이나 인솔자나 아쉬움이 남는 경험이었다.

환영 행사를 위해 지역의 유지들과 주민, 학생들이 모여있다.(위)

주민들이 전통악기를 불며 우리 일행을 맞이하고 있다.(아래)

어떤 학생은 봉사를 마치고 소감을 나누는 자리에서 네팔로 떠나기 전 부모님과 심하게 다툰 이야기를 하였다. 그 학생은 A사 제품의 핸드폰을 사달라고 졸랐고, 부모님은 S사 제품을 사주어 울적한 마음으로 여행길에 올랐다고 하였다. 하지만 네팔에서 봉사하면서 그것이 얼마나 사치스러운 행동이었는지 깨달았다고 하였다.

네팔은 고도가 높은 지역 특성을 나타내는 환자가 많았다. 강한 자외선에 의한 백내장 환자, 거친 산길을 맨발이나 얇은 샌들을 신고 다니는 탓에 발생하는 무릎관절염 및 허리통증 환자가 많이 왔다. 척박한 환경으로 인해 음식 대부분이 거칠고 이로 인한 소화불량과 위 내 가스발생 환자도 자주 보였다. 또한 위생 불량으로 피부병 환자도 더러 있었다. 특히 출생 시 귀에 기름을 넣는 풍습으로 인해 중이염을 앓는 어린애들을 많이 볼 수 있었다. 우리 봉사팀은 경험이 쌓이면서 중이염 치료제는 반드시 넉넉하게 챙겨갔다.

칠순의 할아버지가 오래전부터 귀가 들리지 않는다며 찾아왔다. 할아버지는 어릴 적 중이염을 앓고 난 뒤부터 귀가 서서히 멀어졌다고 하면서 병원에 가본 적은 없다고 하였다. 면봉으로 할아버지의 귀속을 조

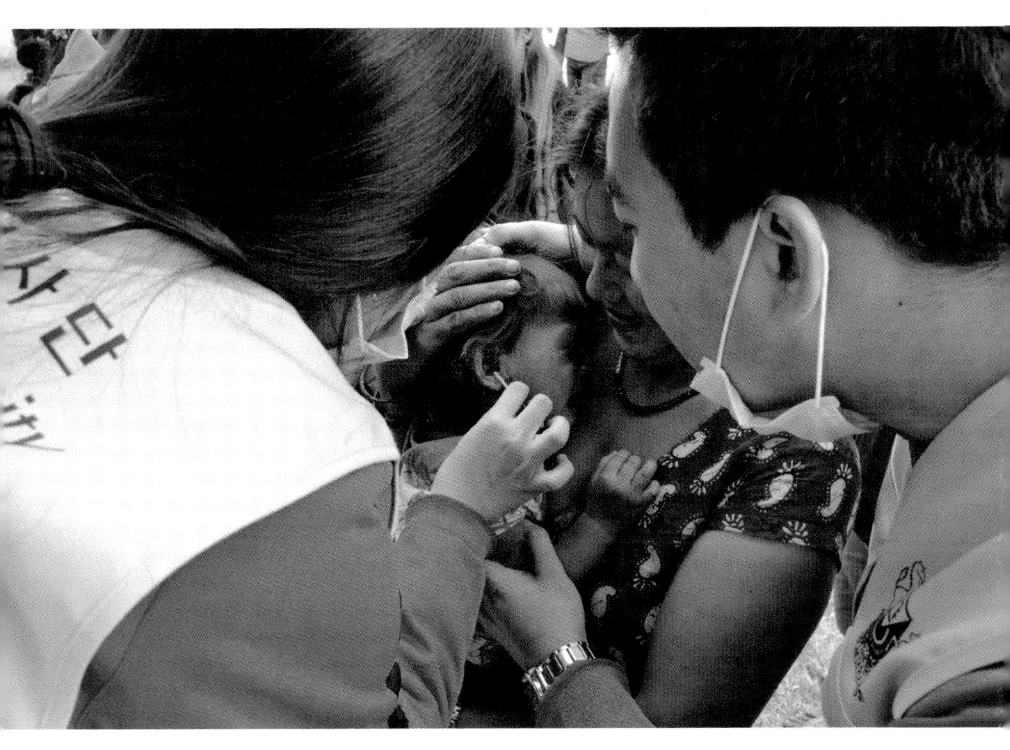

중이염을 앓는 아기. 네팔에는 아기가 태어나면 귀에 기름을 한 방울 넣는 풍습이 있다고 한다. 그런데 이게 원인이 되어 중이염이 생기는 경우가 많았는데, 어떤 이는 평생 귀가 들리지 않는 경우도 있었다.

심스럽게 감지해 보았더니, 딱딱한 고형물이 느껴졌다. 알코올을 귀에 조금 넣고 핀셋으로 이물질을 조심스럽게 끄집어내 보았다. 놀랍게도 새끼손톱만 한 귀지가 양쪽 귀에서 몇 개나 나왔다. 그리고 난 후, 할아버지의 반응은 너무 놀라웠다. 귀가 들리기 시작했다면서 좋아서 어쩔 줄 몰라 하는 것이었다. 더 일찍 병원에 갔으면 일찍부터 귀가 들렸을 것을 이제야 들을 수 있다는 것이 안타까웠다.

두 아들이 아버지를 업고 수 킬로미터를 걸어서 우리 팀을 찾아왔다. 노인은 뇌출혈이 발생한 지 꽤 오래되었으며, 걷지 못했던 것 같았다. 환자의 상태를 사정해보니, 물리치료만 꾸준히 했더라면 충분히 걸을 수 있을 정도였지만, 한 번도 치료를 받은 적이 없다고 하였다.

노인과 가족에게 신체의 균형을 잡는 방법과 체중이동 하는 방법을 3일간 가르쳐 주었더니 3일째에 그 노인은 지팡이를 짚고 혼자 걸을 수 있게 되었다.

아들의 등에 업혀 온 후 치료 3일째 되는 날, 중풍 환자가 일어서는 법을 배우고 있다.

무릎 부종이 있는 환자에게 물리치료를 하고 파스를 붙여주었다.
이튿날 그 노인은 부종이 완전히 가라앉았다며 주위 사람들에게 자랑하고 다녔다.
우리나라에서 별로 경험하지 못하는 치료 효과여서 우리 봉사단 의료의 질적 수준이
아주 높은 것처럼 착각하게 하였다. 아마도 평소에 의료혜택을 받지 못해서 얻는
그들에게 주어지는 특전이지 않을까 싶다.

돌아오는 길에 한 일행이 말했다. '예수도 이렇게 앉은뱅이를 걷게 하고, 귀머거리를 들리게 한 것은 아닐까?'. 그 말에 우리 일행 모두는 폭소와 함께 봉사에 대한 자부심을 가득 안고 귀국하였다.

네팔의 겨울나무에는 푸른 잎이 있기는 하나 비포장도로와 관리되지 않는 도로 여건으로 하얀 먼지로 덮여 있다. 여름에는 잦은 비로 인해 깨끗하고 싱그러운 잎들을 볼 수 있다.

여름의 네팔 여행

네팔에 봉사하러 갈 때는 주로 1월에 떠난다. 네팔의 겨울은 우리나라 늦가을 같은 날씨와 비슷하여 여행하기 딱 좋아서이다. 산악 고지대의 경우 다소 차이가 있겠으나, 전국 평균 고도는 1,350m이며, 수도인 카트만두는 1,300m, 900m 내외인 포카라의 날씨는 비슷하다.

겨울에 네팔로 간다고 하면 추운 곳에 가서 고생이 많겠다고 걱정해 주는 사람들이 있다. 아마도 고산등반이나 트래킹하러 간 사람의 얘기를 들었거나 뉴스에서 눈사태 소식을 접한 선입견 때문일 것이다.

네팔은 위도상 우리나라보다 한참이나 아래에 있어 연중 기온이 훨씬 높다.

여름철 평균 기온은 27~28℃ 정도이지만 남부의 일부 지방에는 45℃까지 올라가는 곳도 있다. 처음으로 여름 봉사를 한 지역은 남부에 있는 헤타우다(Hetauda)로 전 대원들이 온종일 땀으로 범벅이 된 채 의료 활동을 하여야 했다. 또한 몬순기후로 인해 시도 때도 없이 비가 내리는 바람에 진행에 차질을 빚기도 하였다.

특히 산악 트래킹할 때는 어디서 나타나는지 모를 거머리 때문에 대원들이 기겁하기도 하였다.

살갗을 태울 듯 뜨거운 뙤약볕 아래서도 행사가 끝날 때까지 자리를 지키던 학생들이 대견하였다.

제4부

트레킹의 도시 포카라

포카라(Pokhara)

트레킹의 대표적 도시로 알려진 포카라는 오랫동안 중국과 인도 사이의 무역 통로에 있었으며, 18세기에는 상업 중심지로 기능했던 도시이다. 카트만두에서 북서쪽으로 200킬로미터 정도 떨어져 있으며, 우리나라의 제주도와 같은 네팔 최고의 관광도시이다. 아열대기후를 가진 이곳은 인구 약 42만 명이 사는 네팔 제2의 도시다. 네팔에 오는 관광객의 대부분이 포카라는 반드시 거쳐 간다고 해도 과언이 아닐 정도로 온 거리는 외국 관광객들로 넘쳐난다. 시내에서 바라보는 설산은 보는 이들의 가슴을 설레게 만든다.

30킬로미터 이내에 다울라기리, 안나푸르나, 마나슬루 등 8,000미터가 넘는 고봉이 자리 잡고 있어 고산등반과 트레킹을 즐기러 오는 사람들의 전초기지 역할을 한다. 페와호수 등 포카라 인근 어디에서도 이들 산을 조망할 수 있다. 특히 인근에 있는 사랑곳(Sarangot)과 조금 더 떨어진 곳에 있는 오스트레일리안캠프(Australian Camp)는 크게 힘들이지 않고 고산 준봉을 조망할 수 있는 최적의 장소로 꼽히고 있다.

포카라 시내에서 바라본 히말라야 설산. 병풍처럼 포카라를 감싸고 있어 맑은 날 시내 어디에서나 황홀한 풍경을 볼 수 있다.

월드피스 파고다 사원 입구에 있는 세상에서 가장 아름다운 카페. 비록 내부 구조는 보잘것없었지만, 외부 풍경만은 세계 어디에 견주어도 모자람이 없다.

다양한 등급의 호텔과 세계 각국의 음식, 쇼핑거리 등 관광객들을 충족시킬 수 있는 인프라가 구축되어 있고, 한국음식점도 여러 곳이 있어 겨울철이면 한국인들도 쉽게 만날 수 있다. 포카라의 뜻이 호수이듯(네팔어로 호수인 '포카리'에서 유래) 아름다운 페와호수와 월드피스 파고다 불교사원에서 바라다보는 풍경은 일품이다.

페와호수(Phewa Lake)

포카라에 대해 생각하면 가장 먼저 페와호수가 떠오를 것이다. 그만큼 포카라를 대표하는 아이콘으로 네팔에서는 두 번째로 큰 호수이다.

면적이 약 4.43㎢(약 145,000평), 평균 수심이 약 9미터 정도이며, 히말라야 설산에서 눈이 녹아내린 물로 형성된 호수이다. 설산을 품은 호수의 풍경을 한눈에 바라보는 것도 아름답지만, 호수 주변의 산책로를 따라 걷는 것 또한 빼놓을 수 없는 코스다.

산책로에는 호텔, 음식점, 상점 등 편의 시설이 잘 마련되어 있다. 호수를 따라 보트 놀이를 하면서 바라보는 설산은 일품이다.

페와호수 한가운데 섬이 하나 있고, 그 안에는 전설을 간직한 바라히 사원이 있다. 전설에 의하면 한 걸인이 구걸하며 동네를 돌아다녔는데, 누구 하나 눈길을 주지 않았고, 가난한 노부부만이 초라한 상을 차려주

GG 50
GG49
GG57
GG67

었다. 식사를 끝낸 걸인은 노부부에게 서둘러 마을을 떠나라고 일러주었다. 그 순간 마을은 온데간데없이 사라지고 거대한 호수만 남았다. 노부부는 그제야 걸인이 시바신인 것을 알고 호수 한가운데 남은 바라히 섬에 사원을 세워 경배했다고 한다.

주로 현지 힌두교도들이 방문하는 바라히 사원은 시바의 부인 화신(化身)을 모시는 곳으로 '혼인의 사원'이라고도 부른다. 사랑을 이루게 한다는 속설이 있어, 혼인을 앞둔 사람이나 젊은 연인들이 많이 방문하며, 여기서 혼인 서약을 하는 사람도 있다고 한다.

네팔 사람들은 컬러풀한 환경을 좋아한다.
형형색색의 화려한 보트들로 넘쳐나는 페와호수.

포카라에서 시간적 여유를 가지고 페와호수 주변을 산책하다 보면 다양한 사람들을 만날 수 있고, 호수의 정취와 시내 어디에서나 보이는 히말라야 설산만으로도 한껏 여행의 맛을 느낄 수 있다.

호수 주변에는 과일 등 다양한 먹거리와 기념품을 팔러 다니는 사람들로 붐빈다. 솜사탕을 파는 소년과 밀크티(짜이)를 파는 사람 등 오가는 관광객들의 관심거리를 제공해준다.

호수 한가운데에 있는 작은 섬 안에 있는 바라히 사원.

호수가에서 조용한 음악과 함께 명상에 젖어 있는 외국인들도 더러 보인다.

월드피스 파고다(World Peace Pagoda) 사원

레이크뷰 사이드에서 배를 타고 호수를 건너 1시간가량 산을 오르면 월드피스 파고다(샨티 스투파, Shanti Stupa) 사원을 만날 수 있다. 산에 올라가기 힘든 사람이나 시간이 부족한 경우 택시를 타고 절 아래까지 갈 수도 있다. 포카라 시내에서 바라다보면 산꼭대기에 커다란 하얀색 탑이 보인다. 이 세계평화의 탑은 2000년 일본, 태국, 스리랑카, 네팔 등 4개국의 사람들이 건립했으며, 탑 앞, 뒤, 좌·우로 일본의 좌불상, 네팔의 서불상, 스리랑카의 깨달음 불, 태국의 열반 불상 등 4개의 불상이 있다.

이 사원을 짓기 위해 주요 모금 활동을 일본의 불교 종파인 일련정종(日蓮正宗)이 하였으며, 일련정종은 세계평화를 기원하며 전 세계 곳곳에 20여 개의 탑을 세웠다고 한다. 그중 인도 북부의 레(Leh)에 있는 샨티 스투파는 그중에서 유독 아름답다는 평이다. 포카라의 샨티 스투파도 히말라야 설산과 페와호수, 그리고 포카라 시내가 한눈에 내려다보이는 위치에 있어 세계 어떤 곳 못지않게 아름다움을 품고 있다.

월드피스 파고다 사원. 입구 상판에 일본산묘법사(日本山妙法寺)라고 쓰여 있었다.

티베트 난민촌

포카라 남서쪽에는 티베트 난민촌인 짜시링(Tashi Ling)이 있다.

1950년 중국이 티베트를 침공한 이후 여러 가지 박해로 1959년 14대 달라이 라마(원명, 텐진갸초)가 히말라야를 넘어 탈출하고 1962년 이후 폭동으로 많은 티베트 국민이 희생되었으며(일설에 의하면 6,000여 개의 사원 파괴와 120만 명의 인명 피해가 있었다고 함), 이를 피해 약 15만 명이 해외로 탈출하여 인근 나라로 흩어져서 살고 있고, 현재도 탈출은 계속되고 있다고 한다. 현재 네팔에도 11군데 정도의 티베트 난민촌이 있다고 한다.

짜시링에는 500여 명의 사람이 살고 있으며, 국적이 없는 이들은 양털을 이용하여 양탄자를 직접 짜서 판매하거나, 기념품을 팔아 그 수입을 공동으로 관리하며 살아가고 있다.

난민촌에서 양탄자를 짜는 할머니. 나는 할머니의 얼굴과 손을 보면서 좌판을 하시면서 부르튼 손을 가지고 계시던 어머니 모습을 떠올렸다.(위)

티베트 난민들이 만든 양탄자 사이로 대원들이 기념사진을 찍고 있다.(아래)

데비스 폭포와 국제산악박물관

티베트 난민촌 가까이에는 페와호수에서 내려온 물로 이루어지는 데비스 폭포(Devi's Fall)가 있다. 1961년 스위스의 아가씨가 여행 왔다가 이 폭포에서 사라져 그녀의 부모가 찾아와 이곳의 개발을 위해 도움을 주었고, 딸의 이름을 남겼으면 좋겠다 하여 지어진 이름이라고 한다. 여름에는 많은 양의 물이 폭포를 형성하고 있어 장관을 이루나 건기인 겨울철에 가면 물의 양이 적어 웅장함을 볼 수가 없다.

또한 공원 내 크기와 시설도 빈약해 입장료를 내고 들어가는 우리나라 사람들은 대부분 실망하게 된다. 길이가 3킬로미터 가까이 된다는 굽데스와라 동굴 또한 자연 그대로의 상태로 보존되고 있다. 잘 개발된 관광지의 번듯한 시설을 기대하고 왔다면 실망할 수도 있다.

오래전 여행을 온 데비라는 스위스 여성이 빠져 죽었다 하여 붙여진 데비스 폭포. 우기엔 많은 양의 물이 흐르나 건기에는 큰 폭포를 볼 수 없다. 석회암으로 이루어진 바위틈새로 흘러가는 물의 깊이를 알 수 없다고 한다.(좌)

데비스 폭포 공원 안에 있는 굽데스와라 동굴의 입구(우)

포카라에서 가장 일출 조망이 좋은 곳으로 알려진 사랑곳(Sarangot).
해발 약 1600미터 정도에 자리 잡고 있으며, 이른 새벽 높은 지역까지 트레킹을 할 수 없는 관광객들의 일출 조망으로 북새통을 이룬다. 일출을 보고 내려오면서 병풍처럼 펼쳐진 히말라야 설산을 배경으로 대원들이 단체 댄스를 펼쳤다.
지나가던 많은 외국인이 사진 촬영과 함께 환호하였다.

포카라 국제산악박물관 입구. 명칭은 국제산악박물관으로 거창하지만,
내부는 엉성하기 그지없다. 네팔의 각 종족 전통 복장과 생활상의 소개, 고산등반
장비의 변천사가 있고, 히말라야 고산을 등반한 유명한 등반가들에 대한 소개가 있다.
우리나라의 고 박영석 대장과 엄홍길 등 반가운 얼굴들도 소개되고 있다.

트레킹에 오르다

언젠가 한국에 노동자로 건너온 네팔 사람이 속초에 놀러 가서 설악산을 보고 '저 힐(hill, 언덕) 이름이 어떻게 되는지?'하고 물었다는 우스갯소리를 들은 적이 있다. 그만큼 네팔에는 고산이 많아 1,700미터 정도밖에 되지 않는 산이라 언덕으로 보였을 것이라는 의미이다.

하지만 알고 보면 그 네팔 사람은 산이 낮다고 그렇게 물어본 것은 아닐 것이다. 네팔에는 4,000미터 내외까지는 사람들이 살고 있어 낮은 산은 이름이 거의 없다. 마을 이름만 있는 것이다.

산을 좋아하는 사람이라면 누구나 히말라야 탐사를 한 번쯤 하고 싶어 한다. 그중에서도 안나푸르나를 향한 등산코스가 가장 인기가 있고, 그 길목에 있는 포카라를 찾는 이가 많다.

웅장한 모습의 마차푸차레(Machapuchare). 마차(Macha, 물고기)와 푸차레(Pucharae, 꼬리)의 합성어로 마치 물고기 꼬리 모양과 같다고 하여 붙여진 이름이다. 세계 3대 미봉(美峰) 중의 하나로 이름나 있으며, 아직 인간이 한 번도 정복한 적이 없는 성산이다. 힌두교도들에게는 시바의 부인 '파르바티'가 있는 곳으로 믿어 신성시하며, 네팔 정부에서도 등산 허가를 내어 주지 않는다.

안나푸르나(Annapurna). 산스크리트어로 '가득한 음식'이라는 뜻이며, 풍요의 신인 '락슈미'를 의미한다. 맨 좌측에 있는 봉이 안나푸르나 남봉(7,219미터)이며, 오른쪽 바로 뒤로 살짝 보이는 봉이 주봉(8,091미터)이다. 맨 오른쪽은 히운출리.

네팔 트레킹의 최적기는 10월에서 3월까지로 이 시기에는 포카라 시내에 외국 관광객들로 넘쳐난다. 특히 한국 관광객들은 대부분 이 시기를 택해 찾아온다. 이 시기는 비가 거의 오지 않을 뿐만 아니라 설산을 볼 수 있는 청명하고 맑은 날이 많기 때문이다. 3월이 지나면 날씨가 따뜻해지면서 겨우내 쌓였던 눈이 녹아 산사태의 위험이 커질 수 있다. 포카라 시내에는 트레킹을 위한 여행사가 즐비하게 있어 필요한 장비를 대여해 주기도 한다.

안나푸르나 코스의 마지막 마을인 해발 4,130미터의 ABC(Anapurna Base Camp)까지는 도보로 약 1주일 정도의 기간이 걸리는 코스로 가벼운 마음으로 갔다 올 수 있는 곳은 아니다. 그나마 장비 없이 가벼운 마음으로 갔다 올 수 있는 곳은 담푸스(Damps)나 오스트레일리안 캠프(Australian Camp) 정도이다. 해발 2,000미터 정도에 자리 잡은 오스트레일리안 캠프는 오래전 오스트레일리아(호주) 등산팀이 안나푸르나 등반을 가는 도중 이곳에서 캠프를 치고 잠시 머물렀고, 이곳에서 보이는 병풍 같은 설봉과 일출 광경에 반하여 더 머물렀다고 한다. 이후 이곳이 명소로 알려지면서 지금까지 유명한 곳이 되었단다. 특히 이곳에서 보이는 안나푸르나 영봉들과 마차푸차레(Machapuchare, 6,993미터)는 절경을 이룬다.

오스트레일리안 캠프는 포카라에서 담푸스를 통해 가도 되지만, 차로 1시간 정도 되는 거리인 칸데(까레, Kande)에서 1시간 반 정도 걸어서

경이로운 설산 앞에서 환호하는 대원들

올라가면 된다. 시간은 많이 걸리지 않지만, 돌계단이 많고 가파른 곳도 더러 있어 초보자가 올라가기에 다소 힘들 수도 있다. 하지만 당일로 갔다 올 수도 있어, 시간이 부족하거나 높은 산을 등반하는 데 어려움이 있는 사람에게 좋은 선택지가 될 수 있다. 땀 흘리며 힘들게 오른 후 눈 앞에 펼쳐지는 설산들이 가슴에 와닿을 듯하여 흘린 땀이 아깝지 않게 만족감을 준다.

아직 20대 초반 학생들인 대원들은 트레킹에 익숙하지 않아 올라가는 동안 '이렇게 힘든 곳에 왜 데리고 오느냐'고 원망 섞인 하소연을 하였다. 하지만 목적지에 다다른 후 눈 앞에 펼쳐지는 절경에 감탄사를 연발한다. 그뿐만 아니라 밤하늘에 펼쳐지는 별들의 쇼를 보면서 또 한 번 감격에 젖어 든다. 한번은 한 대원의 '네팔에는 왜 이렇게 별이 많은가?' 하는 질문에 일동이 크게 웃기도 하였다.

오스트레일리안 캠프에서 맞이하는 일출.

고산지대의 생필품을 실어 나르는 당나귀(포타나에서). 오스트레일리안 캠프에서 30분 정도의 거리인 포타나(Pothana)부터는 관광객을 상대로 롯지나 식당, 가게 등을 많이 운영하고 있다.

네팔을 다섯 번 방문하는 동안 매번 오스트레일리안 캠프에 올라갔다. 나는 익숙한 코스라 좀 더 높은 곳까지 올라가고 싶은 욕심이 있었지만, 처음 방문하는 대원들을 고려해 갈 때마다 그곳에서 1박 하였다. 또한 의료봉사로 지쳐있는 대원들의 역량과 한계를 알기 때문에 그 이상을 기대하기도 힘들었다. 여섯 번째 방문계획이었던 2020년 1월 스케줄을 세울 때는 어떻게 해서든 ABC(Annapurna Base Camp)까지 가보겠다고 다짐했지만, COVID-19의 대유행으로 출발 1주일을 앞두고 포기해야 했다. 그나마 2019년 여름 방문 때 일행 두 명과 포타나(Pothana)를 거쳐 비촉데우랄리(Bhichok Deurali, 해발 2,100미터)까지 갔다 온 것으로 아쉬움을 달랬다.

트레킹 코스에 있는 안내 지도와 표지판. 지도마다 철자가 다른 경우가 많고, 심지어 역사적 사실도 문헌마다 조금씩 차이가 있는 경우가 많아 혼란스러울 때가 있다.(위)

포타나에서 비촉데우랄리로 가는 길. 습기로 인해 안개가 자욱하고, 군데군데 타르초(불교 경전이 씌어 있는 깃발)가 걸려 있어 고향 동네 앞 당산나무를 떠올리게 한다.(아래)

트레킹 코스의 대부분이 돌계단으로 된 너덜길이어서 산행에 익숙하지 않은 사람들에게 피로감을 준다(까레에서 오스트레일리안 캠프로 가는 길목).

비촉데우랄리로 가는 길에 요기하기 위해 식당에 들렀다. 주방은 깨끗하였으나 주문한 지 1시간이 넘어서 요리가 나왔다. 네팔 식당에선 식사를 주문하면 비로소 쌀을 씻는다는 우스갯소리가 있지만, 여름엔 손님이 많지 않아 준비가 안 된 것으로 보인다.

높은 고도로 올라갈수록 숙박시설은 열악해진다. 롯지(lodge) 내 방 시설은 이불과 침대만 있다. 판자로 만든 문틈으로 겨울 찬 바람이 쉼 없이 들어온다. 영하까지 내려가는 새벽공기에 밤잠을 설치기 일쑤다.

제5부

네팔의 모습들

카트만두 타멜 거리 인근의 뒷골목. 전기차와 자율주행차가 생산되는 시기에 자전거를 매단 인력거(사이클릭샤)가 운행되는 네팔의 뒷모습이 씁쓸하기만 하다. 하지만 당사자에게는 중요한 생계 수단이다.

어느 가정의 한가한 오후. 부엌이 있고 방이 따로 있는 이 집은 남부럽지 않은 그들의 보금자리일 것이다.

카트만두 시내의 공동 빨래터. 먼지가 쌓인 바닥에 널어놓은 빨래가 눈에 띈다.

카메라 앞에서 스스럼없이 포즈를 취하는 어린이들. 네팔인들은 사진 찍기 좋아해서 포즈를 잘 취해준다. 사진 모델이 되어 주고 돈 달라고 손을 벌리는 여느 나라들에 비해 순수함이 있음을 알 수 있다.(위)

주류가게의 사람들(카트만두 시내에서). 세계 어디에 가나 술을 좋아하는 사람들은 있기 마련이다. 네팔은 술의 종류가 많지 않고 맥주의 가격은 의외로 비싸서 평생 맥주 한 모금 마시지 못하고 죽는 사람이 있다는 얘기도 있다.(아래)

MAY
I
COME
IN?

어느 시골 학교의 학생들.. 소년의 목에 쓰여 있는 “May I come in?”이 이채롭다.

시골길에서. 오랜 관습 탓인지, 네팔인들은 대부분 하루에 식사를 두 끼만 먹는다. 그래서 그런지 그들의 일과는 늦게 시작해서 일찍 끝난다.(위)

도로 위에 자전거와 우마차, 오토릭샤, 그리고 자동차가 어우러져 가고 있다(2017년 인도와 국경도시인 비르간지 Birganji에서).(아래)

산이 국토의 대부분인 네팔은 산과 산 사이에는 깊은 계곡과 물이 있어 계곡을
가로지르는 현수다리가 군데군데 놓여 있다. 노새와 오토바이, 짐을 짊어진
사람들이 흔들거리는 다리를 거리낌 없이 건넌다.

시골 버스. 덜컹거리는 비포장도로를 가는데도 편안하게 걸터앉아 가는 그들을 보며 혹시나 하는 걱정은 바라보는 사람의 기우일지도 모르겠다.

시골 학교 학생들이 책가방도 없이 샌들이나 맨발로 등교하는 모습

언제 감았는지 모를 헝클어진 머리, 부르튼 손과 발, 밖으로 삐져나온 누런 코와 옷소매의 시커먼 땟국물.. 그들은 영락없는 어릴 적 내 친구들 모습이다.

구멍가게의 모녀.

전통 복장의 소녀들(좌)

순례 중인 티베트 스님(우)

에필로그

어릴 때 화가가 되기를 꿈꾼 적이 있었다. 유별나게 그림을 잘 그리거나 특정한 미술대회에서 상을 받아본 적도 없었지만, 그리는 것이 좋았고, 가을철 파란 하늘을 보고 있노라면 큰 붓으로 무언가를 그리고 싶은 욕망이 솟을 때가 많았다. 사실 나의 그림 실력은 미술 시간에 그린 그림이 교실 뒤에 걸리는 여러 장 중의 하나인 것이 고작이었다. 중학교 1학년 때 미술 선생님으로부터 '너 미술반에 안 들어올래?'라는 말을 들은 것이 평생 미술에 대한 재능이 있는 것으로 착각하게 된 계기가 되었다. 이후 그림에 관한 생각은 항상 가슴속 어딘가에 숨어 있었고, 가난으로 인해 그 길을 가지 못한 것으로 자신에게 내린 결론을 간직하고 있었다.

인도여행을 갈 때 나는 일본 S사의 스냅용 디지털카메라를 들고 갔다. 집으로 돌아온 후 내가 찍은 많은 사진이 내가 눈으로 본 그 인도의 분위기와는 이미지가 많이 차이 난다는 것을 알게 되었다. 현장의 사실

적 분위기를 잘 담아야겠다는 생각과 내가 하고 싶었던 그림을 사진으로 대체할 수 있겠다는 기대감으로 큰맘 먹고 새로운 DSLR 카메라를 샀다. 이후 카메라는 나의 절친이자 항상 나와 함께하는 나의 한 부분이 되었다.

네팔 여행을 다녀온 사람들의 얘기를 들어보면, 크게 두 부류의 느낌으로 요약할 수 있다. 한 부류는 네팔의 매력에 다시 또 가고 싶다는 사람이 있는가 하면, 또 다른 쪽은 한 번으로 족하다는 사람이 있다. 나는 매번 갈 때마다 새롭고 어린 시절로 다시 돌아간 듯한 느낌을 받는다. 그들의 삶에서 수십 년간 잊고 있었던 어린 시절의 삶을 되돌릴 수 있기 때문이다. 또한 수십 년 전 우리가 살아왔던 그때의 모습을 고스란히 닮았기 때문이다. 그리고 그 속에서 나를 볼 수도 있었다.

의료봉사 중 몰려드는 환자를 돌보면서 틈틈이 눈에 띄는 피사체를 향해 셔터를 눌렀다. 소변이 마려워도 갈 시간이 부족할 정도로 바쁜 시간 속에서 카메라는 항상 내 옆에 있었고, 순간순간 찍은 사진들이 다섯 번의 방문 속에 컴퓨터에 쌓여 갔다.

코로나19 사태로 인해 네팔 봉사의 길은 막혔고, 봉사 준비를 위해 매번 바빴던 방학이 여유롭게 되었다. 그동안 쌓여 있던 사진들을 정리하면서 혼자 보기 아까운 사진과 네팔 현지에서 보았던 여러 상황을 더 많은 사람과 나누어야겠다는 생각으로 포토에세이를 만들었다.

글을 정리하고 보니 네팔의 어두운 면과 부정적인 면이 많은 것 같다. 하지만 이것은 네팔을 깎아내리기 위한 것은 아니며, 또한 이것이 그들만의 상황이 아니라 과거 우리나라의 상황이었고, 이것으로 인해 우리를 다시 돌아볼 수 있는 계기가 될 것으로 믿는다.

비록 현재는 어려운 사회 여건으로 열악한 환경에서 공부하고 있으나 또렷한 학생들의 눈동자를 보면서 네팔의 장래는 밝을 것이라고 확신한다.

네팔 아리랑

네팔, 과거로의 여행

1판 1쇄 인쇄 2023년 11월 15일
1판 1쇄 발행 2023년 11월 19일

글·사진 박돈목
편집 허진 | 디자인 이혜리
펴낸이 허진 | 펴낸곳 레시픽 | 등록 2017년 4월 20일(제2017-000044호)
주소 서울시 중구 삼일대로4길 19, 2층 | 전화 070-4233-2012
이메일 reseepics@gmail.com | 인스타그램 instagram.com/reseepic

ISBN 979-11-90753-10-4 03810